JN129878
princess Lala
princess Lala

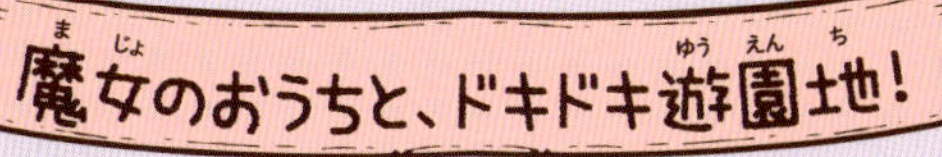

Gakken

ララ姫の、夢と魔法の冒険物語！
ララ姫は、冒険が大すき！
ねこになれる魔法を使って
ドキドキの冒険へ出かけます。
おもな登場人物
主人公
ララ姫
アルテシア王国の王女。
10歳。
わくわくすることが
大すきで、
元気でおてんば。
これまでのお話
ララ姫は、ねこに
なれる魔法の石がついた
ペンダントを持っています。
でも、あるとき、その石の色が
かわっていたのです——。
一方で、友だちのポリーが、
持ってきたのは、
ふしぎな紙でした。

アルテシア王国の人たち

※一部、ねこ

テオ

おいしい料理や
スイーツを作る、
お城の料理人。

ララ姫、
ポリーの
おさななじみ。

ララ姫の親友。
物知りで、
流行にもくわしい。

きれいな首わを
つけた、こねこ。
正体は……!?

どこからともなく、
あらわれる。ひたいに、
ひとすじの白い毛がある。

ララ姫の母。
てきぱきと国を
おさめる。

なぞの魔女たち

ソプラノと
いっしょに
行動している。

自分の魔法の
力が弱く、魔法道具を
集めていた。

はるか昔に
いたといわれる
伝説の魔女。

たどりついたのは、
ふしぎな、
かわいらしいおうち。
ここはいったい、どこ？
だれのおうち……？？

とつぜんあらわれた、
なぞの小道。
この先に何があるの……？
ページをめくってね。

princess Lala

もくじ

1 ミウイの町におかしの家！？

さんさんと太陽がかがやき、小鳥がさえずる、おだやかな午後。

エトワール城の部屋の中では、二人の女の子が、おどろいたようすで立ちつくしていました。

アルテシア王国の王女、ララ姫と、親友のポリーです。

「どうしたのかしら？　石の色がかわるなんて」

ララ姫がつぶやき、ポリーも首

をかしげます。

ララ姫の首にかかったペンダントの石の色は、いつもは美しい海のような青色なのですが、今はどうしたことか、うすく、白っぽい色になっています。

十歳になる前の夜、ララ姫は、ふしぎな白いねこから、このペンダントをもらいました。ペンダントの石をなでると、石の色が青から緑にかわって、ねこになれるのです。

この魔法のことを知っているのは、ポリーと、ララ姫のお母さまのマリーナ女王だけ。

「いつものように、ねこに変身できるかしら……」

ララ姫は、ふと思いついて、つくえの宝石箱から、ブルーサファイアのブローチを取りだしました。お母さまからもらったお守り代わりのブローチです。

そのブローチを、ペンダントのチェーンにつけました。

そして、そっと、ペンダントの石をなでると、石からピカッと、光があふれでました。まぶしさにまぶたをとじたララ姫が、しばらくして、目を開けると――。

『ミャミャ！』（ねこになれたわ！）

ララ姫は声を上げました。

手足にしっぽ、すっかり茶色いとらねこになっています。

横で、ポリーが、ほっとしたように息を
つきました。
「よかった……。でも、ララ姫、首もとの
石の色が、いつもはもっと緑色になるのに、
白っぽいわ。何が起こるかわからないから
気をつけたほうがよさそうね」
『ミャ！』（そうね！）
ララ姫はしっぽを二回ふり（これは、イエスの合図なのです）、
お出かけ用のかごに、ぴょんっと、とびこみました。
これから、おしのびで町へ行くのです。ポリーの手もとには、

見る人によってかわって見える、ふしぎな紙があります。ララ姫とポリーは、その紙のなぞをとこうとしているのでした。

「そうだわ、ララ姫。せっかく町へ行くなら、クロエにも会いにいかない？　南の国のおみやげをわたしたいし」

ララ姫は、元気よく、しっぽを二回ふりました。

ララ姫やポリーは、しばらく南の国へ行っていて、きのう、帰ってきたばかりなのです。

ポリーと、かごに入ったねこのララ姫は、そっとお城をぬけだしました。

ミウイの町の大通りには、いろいろなお店がならんでいます。

（わあ、今日も、にぎわっているわね！）

ララ姫は、かごのあみ目のすき間から、見える景色を楽しんでいました。

小道に入ったところで、ポリーは立ちどまりました。

「たしか、このあたりのはずよ」

そういって、お母さんが町で受けとったというふしぎな紙を取りだします。

「シークレットショー」としか、書かれていない紙です。でも、

ポリーが、ぱちぱちとまばたきをすると——。

紙に、黒かみの女の人の顔や、「ソプラノの歌声」という文字が、ぱっとうかびあがりました。

これが見えるのは、今のところ、どうやら、ポリーとララ姫だけのようです。

ソプラノは、前にララ姫の魔法のペンダントをねらっていた魔女です。いろいろな騒動をまきおこしたあと、魔女の世界へ帰っていったといわれています。

ふしぎな紙は、ソプラノからのお知らせなのでしょうか。

それを調べるため、ポリーのお母さんが紙をもらったという
お店と、紙に書かれている場所へ行ってみようと、二人は町へ
やってきたのです。
ポリーが、小声でいいました。
「ねえ、ララ姫。もしかして、ショーの会場は、あの建物じゃ
ない？　でも、あんな建物、あったかしら」
かごから少し顔を出したララ姫は、向こうにある建物を見て、
はっと息をのみました。
（なんてかわいい建物なの！）
チョコレート色の三角屋根に、ドーナツ形の丸いまど。

さとうをまぶしたクッキーのようなかべには、生クリームを思わせる白いかざりがデコレーションされています。

まるで、おとぎ話に出てくる、おかしの家のようです！

建物に近よると、ポリーは、ドーナツのようなまどから中をのぞいてみました。

中は広くがらんとして、人の気配はありませんでした。

2 クロエと、ふしぎな紙

「市場に行っても、手がかりがなかったわね。シークレットショーの時間に、あのおかしの家へ行ってみるしかないのかしら」

ポリーの言葉に、ララ姫は、

『ミャ！』（そうしましょう！）

と、へんじをしました。

ポリーのお母さんが紙をもらったという市場の出店に、先ほど行ったのですが、そのお店を見つけられなかったのです。市場の人たちにたずねても、みんな、そんな店は知らない、というのでした。

「ポリー！」

後ろから声をかけられて、ポリーはふりむきました。

フリルのドレスをまとったクロエが、かけよってきます。

「ポリー、会えてうれしいわ。南の国から帰ってきたのね！」

「ええ、そうなのよ。今、ちょうど、クロエに会いに行こうとしていたの。これをわたしたくて」

そういって、ポリーは、貝がらのペンダントを取りだしました。

「ララ姫とわたしからの、フローラ王国のおみやげよ」

「ありがとう！　すてきだわ！」

クロエの声がはずみます。

クロエは、人気のアクセサリーのお

店の、店長の一人むすめです。店長もクロエも、とびきりセンスがよくて、おしゃれが大すきなのでした。

「ありがとう、ポリー。だいじにするわ。いっしょに南の国へ行けなかったのはざんねんだったけれど、わたし、手作りアクセサリーのコンテストで優勝できたのよ」

「まあ、クロエ、すごい！　おめでとう！」

ポリーは、目をかがやかせました。

（クロエ、おめでとう！　うれしいわ）

かごの中で聞いていたララ姫も、うれしさにとびあがりそうになり……。

ぽん！

うっかり、かごのふたに頭をぶつけてしまいました。

「今、かごが動いたように見えたわ……？」

目を丸くするクロエに、ポリーは、かごを体の後ろに、さっとかくすようにしていいました。

「そうだった!?　気のせいよ、なんでもないわ」

ねこになったララ姫がかごの中にいることは、友だちにもひみつにしなければなりません。

そのとき――。あわてたポリーの手もとから、紙がひらりとまいおちました。

クロエが、紙を拾いあげます。そして、少しびっくりしたような顔をしました。

「まあ、月夜のシークレットショー？　ソプラノの歌声？　なんだかおもしろそうなイベントね。それにしても、この紙、一しゅんで見た目がかわった気がしたわ」

ポリーと、かごの中のララ姫は、息をのみました。

なんと、クロエにも、紙がかわって見えるようです。

（もしかして、ソプラノは、つたえたい人にだけ、文字や絵が見えるように魔法をかけたのかしら？　この紙は、招待状？）

ララ姫は、心の中でつぶやきました。

クロエとわかれ、お城へもどるとちゅうのことです。
荷物をたくさんつんだ馬車が、何台も横を通りすぎ、広場のほうへと走っていきます。
「広場では今、ドリーム・ランドのじゅんびをしているのね！」
ポリーがうれしそうにいいました。
ドリーム・ランドは、世界じゅうを回っている、人気の移動遊園地です。
そんな遊園地が、いよいよ、アルテシア王国にやってくるのです！

ララ姫もずっと心待ちにしていました。

「開園はあさってなのよね。回転ブランコや、手品ショーもあるみたい！」

ポリーの言葉に、ララ姫は、

『ミャ！』（楽しみだわ！）

と、こたえました。

ポリーが、声をひそめました。

「そういえば……みょうなうわさがあるの、知ってる？　さいきん、ドリーム・ランドが開園するときに、よく怪盗団があらわれるんですって。遊園地に遊びに来た貴族などから宝石や金

貨をぬすんでは、まずしい人に配っているらしいの。いつもすがたが見えないから、ゴーストとよばれているって」

ララ姫は、むねがざわざわしました。

（まずしい人のためとはいえ、ぬすむなんて。アルテシア王国に、怪盗団があらわれないといいのだけれど……）

3 魔法の力が、かわった!?

お城の門の近くまで、もどってきたときです。ポリーがとつぜん立ちどまりました。

「ララ姫、たいへん！　少し前をノーラが歩いているの。ノーラが遠くへ行くまで、ここで待つわね」

ノーラは、ララ姫のお世話係です。ララ姫がねこになれることはもちろん知りません。かごの中にねこがいるとわかれば、ポリーはノーラにいろいろと説明しなければなりません。今は、会わないのがいちばんです。

「それでは、ランス騎士隊長」

と、すぐ近くで、だれかが話しはじめました。

「遊園地のけいびをおねがいします。ゴーストたちは、どこにあらわれるかわかりません。これまでは、きもだめしのテントや、パレード中でしたが――」

（さっきポリーがいっていた、怪盗団のことかしら？）

ララ姫は、かごのふたを頭で少しだけおしあげて、すき間から声のするほうを見ました。

「くれぐれもおねがいします。今度こそゴーストたちのすきにはさせたくないのです」

ふっくらした体つきの男の人がいうと、となりにいたひょろりと背の高い男の人もつづけます。

「園長のいうとおりです。わたしも副園長として、どうにか、ふせぎたいと思ってます」

「ええ、もちろん。われわれに、

おまかせください」

ランス騎士隊長が、きりっとしせいを正して、いいました。

お城の部屋にもどり、ララ姫は、かごからとびだしました。

ポリーが、すぐさま、ララ姫の首についているペンダントのねこめ石をなでます。とくべつな友だちが石をなでると、また人間にもどれるのです。

ところが――。

『ミャ？』（あれ？）

ララ姫は首をかしげました。

何も起こりません。

「おかしいわ。もう一度、やってみるわね」

それから、ポリーは何度も石をなでましたが、いつものように白い光があふれでてくることはありません。

石の色も、真っ白になっています。

(人間にもどれないってこと!? どうしよう?)

ララ姫は、少し不安になって、ポリーを見上げました。

「待ってて、ララ姫。何か方法があるはずよ」

ポリーが自分にいいきかせるように、そういうと、部屋の中をぐるぐると歩きまわりはじめました。

そのとき、トントントンと、ドアをノックする音が聞こえました。ララ姫は、あわててソファの下にもぐりこみ、ポリーは急いでテラスへ出て、かくれます。

入ってきたのは、お世話係のノーラです。

「姫さま。おやつをお持ちしましたよ」

ノーラが運んできたトレイには、ケーキスタンドと湯気の立つハーブティーのポット、ティーカップがのっています。

ケーキスタンドにならぶのは、ラズベリータルトやショコラケーキ、カスタード・プディングなど、小さなデザート！

（おいしそう……）

ソファの下のララ姫は、人間にもどれないというたいへんなことも一しゅんわすれて、おかしに見と

れました。

「姫さま。こちら、テオがやいた、新作のケーキだそうで……

おや？　姫さま？」

テーブルにケーキなどをおいていたノーラは、手を止めて、あたりをきょろきょろと見回しました。

「まあ、姫さま、いらっしゃらない？　どこかへ、お出かけになられたのかしら。もしかしたら……お庭？　ゼッペンさんに、きいてみましょう」

ノーラは、あわてて外へと出ていったのでした。

ゼッペンさんは、お城の庭師です。

ノーラは、ゼッペンさんのことが大すきですし、とてもたよりにしているのでした。

ララ姫は、急いでソファから、ポリーのいるテラスへ走りでました。

「ゼッペンさんに会いに行ったなら、ノーラはきっと長話するわ。しばらくもどってこないわね」

ポリーが少しほっとしたようにいって、ララ姫は、「わたしもそう思うわ！」というように、しっぽを二回ふりました。

さあ、今のうちに、ねこから人間にもどる方法を見つけなくてはなりません。どうすればよいのでしょう。

そのとき、テラスの手すりの上に、黒ねこがあらわれました。

ひたいに、ひとすじの白い毛があるねこです。

いつも、ねこになったララ姫といっしょに冒険したり、助けてくれたりしています。

目の前にいる黒ねこの金色のひとみは、ララ姫の、ペンダントの石をじっと、見つめています。

(黒ねこさん！　わたし、人間にもど

れなくなってしまったわ。どうしたらいいのかしら？）
ララ姫は、語りかけるように、黒ねこを見つめかえします。
黒ねこは、少し考えているようでしたが、

ニャ！

と一声鳴くと、部屋に走り、かごの中に入りました。
「外に出ようっていうことかしら？」
首をかしげるポリーに、ララ姫は、
『ミャ！』（**きっとそうよ！**）
とこたえて、急いでかごの中につづけて入ります。
ポリーはやさしく、そのかごを持ちあげ、お城の外へ向かっ

たのでした。

お城を出ると、黒ねこはかごからとびおり、トントンと早足でどこかに歩きはじめました。

その後ろを、ねこのララ姫とポリーが追います。

やがて、黒ねこにつれられてたどりついたのは、お城のそばにある森の、しげみでした。

黒ねこが近づくと……。おどろくことに、葉っぱがサワサワと動き、しげみの中に、ねこが通れるくらいの小さなトンネルがあらわれました。ひみつの入り口のようです。

黒ねこは、ララ姫のほうをふりかえると、ゆっくりした足どりでトンネルの中へ入っていきました。

（このあとを、ついていけばいいのね。ポリー、わたし、行ってくるわ）

ふりかえったララ姫に、ポリーが、わかったわ、というように深くうなずきました。

「ララ姫、行ってらっしゃい。わたし、しばらく、ここで待っているから」

ポリーの言葉に元気づけられて、ララ姫は、一歩、葉っぱのトンネルの中へふみだしました。

ララ姫の体がすっぽりトンネルに入ったとき、入り口はまた葉っぱでとじられて、もとのしげみになったのでした。

黒ねこは、少し先を、なれた足どりで進んでいきます。

やがて、広く開けたところに着きました。

ララ姫は、びっくりしました。

目の前にある
大きな木には、
まどやとびらが
ついているのです。

（まあ、だれかのおうちかしら？）

その木の家へ向かう黒ねこを、ララ姫はあわてて追いました。

根っこのとびらから中へ入り、らせん階だんを上り――。

一歩進むたびに、ランプが、ぽうっとオレンジ色にともり、

ララ姫の足もとをてらしてくれました。

階段を上りきったところにあったのは、こじんまりとした、かわいらしい部屋です。

大きな丸いまどべには、見たことのないようなふしぎな草花がさき、石づくりのだんろや、背の高い本だなもありました。

ララ姫は、かべに、絵がかかっていることに気づきました。

絵の中では、二人の女の子がほほえんでいます。

（右の子は、どこかで見かけたことがあるような気がするわ）

そう思いながら、ララ姫がもう一度よく見ると、絵の下にサインが入っています。

『大切な親友　メリンダへ　エレナより』

ララ姫は、びっくりして、とびあがりそうになりました。

（アルテシア王国の……エレナ女王だわ！）

エレナはずっとずっと前のアルテシア王国の女王で、偉大な人として、歴史でも習いますし、お城にも絵がかざってありま す。外国とのあらそいを終わらせたり、学校をつくったり、広場でお祭りを開いたり……。

さらに、エレナ女王は町や村に出かけては、たくさんの人とおしゃべりを楽しんでいたそうです。

（メリンダは、ねこになれるペンダントを作ったという、あの魔女のメリンダ？）

ララ姫が、はっとしたそのとき、ミャウと鳴き声が聞こえました。

見れば、ふかふかのベッドの上に、雪のように真っ白なねこがすわっています。

右目はサファイアのように青く、左目はエメラルドのように緑色。

ララ姫は、思いだしました。

このねこは――。十歳をむかえる日の前夜、ララ姫にペンダントをくれた、魔女のねこ、ミルンです。

『ララ姫(ひめ)、魔女(まじょ)メリンダの家(いえ)にようこそ』

ララ姫(ひめ)の頭(あたま)の中(なか)に、ミルンのすきとおるような声(こえ)がひびきました。

4 魔女メリンダの家

『ここは、はるか昔になくなった魔女メリンダの家です。偉大な魔女の家を、わたしたちはだいじに守っています。それで……ペンダントの魔法の力が、きかなくなったのですね？』

ミルンが、ララ姫の首わの白い石を見つめながら、しずかにたずねます。

『ミャー』（そうなんです）

ララ姫の言葉がわかるようで、ミルンは、ゆっくりうなずきました。

『ミルンなら、どうすればいいか、知っていると思ったから、ぼく、ララ姫をここへつれてきたんだ』

とつぜん、となりから、もう一つの声が聞こえて、ララ姫は目をぱちぱちさせました。

声の主は、黒ねこだったのです。

（まあ、黒ねこさんも、ミルンのように話せるの!?）

おどろくララ姫に、黒ねこが語りかけました。

『ぼくの魔法の力では、人間界ではまだ話せなくて。じこしょうかい、おそくなっちゃった。ぼくの名前はネロ』

『ネロも、わたしと同じ、魔女の世界のねこです。今、人間の世界でララ姫を見守る役目をまかされています』

ミルンは、やさしい声でつづけました。

『ミャミャ、ミャ！』（ネロ、はじめまして、じゃないけど……、いつもありがとう）

ララ姫がいうと、ネロはうれしそうにしっぽをゆらしました。

ミルンの声が、またひびいてきます。

『わたしは、ララ姫に、ペンダントをわたしたり、昔の偉大なる魔女メリンダがのこしたメッセージをおつたえしたりする役目をまかされています』

『あ、ミルンみたいにまかされるのは、とくべつにえらばれたねこだけなんだ。ほんとうに正しく石を使える人か、見きわめてから、わたさなくちゃいけないし』

黒ねこのネロが、目をかがやかせて、つづけます。

『ぼくも、ミルンのような魔法ねこになれるように、修行中なんだ』

ミルンが、目を細めます。

『さあ、どうやらララ姫にも、なぜ、魔女メリンダが、ねこになれるペンダントを作ったのか、そのわけをおつたえするときがきたようですね。ここから、少しだけ、メリンダが生きていた時代に行く、旅のような体験をすることになりますよ』

そういって、ミルンがしっぽをゆらすと、つくえの上からメリンダの日記が、ふわふわと、ララ姫の前におりてきました。

そして、日記から金色の光があふれでると、ララ姫の体をつつみこんだの

です。
はっとして目を開けると、ララ姫はねこのすがたのまま、緑が広がる丘にいました。
遠くには町があり、どこかで見たことがあるような風景です。
(春のアルテシア王国でさく花のかおりもするわ――。ここは、まるで、王国みたい)
ララ姫は、となりに、長いつえを持った女の人がいるのに気づきました。
その顔は、ついさっき見たばかりの、絵の女の子にそっくり

です。
『もしかして、あなたは魔女のメリンダ？』
ララ姫が思わずたずねると、女の人がほほえみました。
「ええ、はじめまして。わたしは、メリンダ。わたしはもう、あなたがいる世界には生きていないけれど、ここは、わたしの日記の世界なの。あなたは、今、わたしの日記の世界に入っているのよ」

ララ姫は、目を丸くして、メリンダの話を聞いていました。

「ララ姫、あなたに、ペンダントのひみつを教えましょう。人間にもどれる方法もわかるわ。さあ、昔のエトワール城へ行きますよ」

そういうと、メリンダは、ひゅっと、つえをふりました。

5 女の子と魔女

つえをふった直後、メリンダとララ姫は、大きなお城の庭にいました。

（昔の、エトワール城は、こんな感じだったのね）

きょうみしんしんで、あたりを見回すララ姫でしたが、テラスに一人の女の子が、たたずんでいるのに気づきました。ずいぶんと、青白いほおをしています。

「おさないころの、エレナ姫よ。わたしとエレナが出会ったころ、アルテシア王国は、あらそいが多かったの。エレナは、めったに、外へ遊びに行けなかった」

メリンダが、なつかしむように、あたりを見回します。

「わたしは、ねこになる変身の魔法がとくいで、ねこになってよく、人間の世界へ遊びに来ていたの。あるとき、ねこに変身して、お城のテラスでひなたぼっこをしていたら、エレナと出会って……。すぐになかよくなったし、わたしも、魔女だって打ちあけて、魔女のすがたでも会うようになったわ」

そういってメリンダがつえをふると、時間が流れ、季節が秋にかわりました。

まどべでは、エレナ姫と、同じくらいの年ごろのメリンダが、話しています。

『今日は、エレナにプレゼントがあるの。ねこに変身できるペンダントよ。わたしが魔法をこめたの』

　メリンダが、青色にかがやくねこめ石のペンダントをさしだしました。
　エレナ姫がペンダントをなでると、まぶしい光があふれでて、グレーの毛色のこねこに変身します。
　ねこに変身したメリンダとエレナ姫は、テラスから外へ、うれしそうにかけだしていきました。
「ねこになったエレナと出かけるのは、楽しかった。いろいろ

な所へ行ったわ。町の市場や、お花畑……森で木登りをしたり、かくれんぼをしたり」

メリンダは、そういうと、またつえをふりました。

お城の部屋で、まどべに立つエレナ姫とメリンダは、背がのびて、少しお姉さんになっていました。

エレナ姫は、顔色がずいぶんとよくなっていますが、どことなくさみしそうです。

エレナ姫が、思いきったように口を開きました。

『メリンダ、わたしね、これからはあまりメリンダと遊べなくなってしまうわ。外国へ行って、いろいろ勉強をすることにしたの。こんなふうに、いろいろな世界を知りたくなったのは、メリンダのおかげよ』

『会えなくても、エレナがりっぱな女王になれるよう、おうえんしているわ！　魔法のペンダントは持っていて。この先、エレナにはきっと、大切な友だちがあらわれる。わたしがいなくても、その友だちが、魔法をといてくれるはず』

メリンダがほほえみ、エレナがこぼれるなみだをふきます。

二人は、しっかりと手をにぎりあいました。

二人のようすを見つめながら、ララ姫のとなりにいるメリンダが口を開きました。

「このあと、わたしとエレナは、長い間、会わなかった。わたしも魔女の修業でいそがしくて、人間の世界へ行くこともなくなってしまった。でも、エレナがアルテシア王国で女王になっ

たと聞いて、わたしは一回だけ会いに行ったの」

そういってメリンダが、もう一度、つえをふりました。


時間がずいぶんとたったようで、今度は、大きな部屋の中で、大人になったエレナ女王と魔女メリンダが向かいあっています。

『ひさしぶりね、メリンダ。会いたかったわ』

『わたしもよ、エレナ』

エレナ女王が、つくえの上にあるきれいな箱のふたを、そっと開きました。

その中から取りだしたのは、ねこになれる魔法のペンダントでした。

（まあ！　あの石の色は⁉）

ララ姫は、びっくりしました。

石の色は、ララ姫の首にかかっているのと同じ、真っ白だったのです。

エレナ女王が話します。

『あれから一年もたたないうちに、ペンダントの色がかわって、

ねこにはなれなくなった。でも、今でもだいじなペンダントよ。魔法がなくても、メリンダ、あなたとの友情のあかし、思い出だもの。あなたのおかげで、わたしはお城にいるだけではわからない、広い世界を見ることができたわ』

エレナ女王の言葉に、メリンダがほほえみました。

『ねえ、メリンダ。一つ、おねがいがあるの』

『何かしら？』

エレナ女王は、メリンダをまっすぐに見つめながら、いいました。

『わたしには、もう、ねこに変身する魔法はひつようないわ。

でも、ねがいがかなうなら、このペンダントを、未来の王子や王女たちにもとどけたいの。わたしが、ねこになったからこそ知れたことを、つたえていきたい……きっと、心の宝物になるはずだから』

『わかったわ、エレナ。わたしにまかせて。まずは、ペンダントに魔法の力を取りもどすわよ』

メリンダはにっこりして、ペンダントを持つエレナ女王の手に、自分の手を重ねました。

すると、そこから、ぼんやりと光が広がりました。

光が消え、メリンダが手をはなし、エレナ女王が、ゆっくり

手を広げると――。

ペンダントの色は、もとの青色にもどっていたのです。

『この石の魔法のみなもとは、友だちを大切に思う気持ち。だいじな友だちといっしょにふれると、魔法がよみがえるの。この先は、わたしや、わたしの思いをつぐ魔法の使いが、ペンダントをとどけるわ』

エレナ女王は目をうるませました。

『ありがとう、メリンダ』

そして、ペンダントをメリンダにそっと手わたしたのです。

二人のすがたは、やがてぼんやりとかすみ、見えなくなりました。

（ペンダントに、こんなねがいがこめられていたなんて）

おどろくララ姫に、メリンダが語りかけます。

「すべてのものは、かわりゆくでしょう。少しずつかわるもの、とつぜんかわるもの、いろいろあるけれど、魔法も、いつだって同じように使えるとはかぎらない」

そう語るメリンダに、ララ姫がいいました。

『メリンダさん、わたし、魔法を大切に使うわ。エレナ女王の思いも、だいじにしながら』

メリンダがほほえむと、やさしい風がふき、ララ姫は、ゆっくり目をふせました。

風がやみ、目を開けると、ララ姫はメリンダの部屋にもどっていました。

白ねこのミルンと、黒ねこのネロが、ララ姫の顔を見つめています。ミルンの声がひびいてきます。

『ララ姫、お帰りなさい。魔法をよみがえらせる方法はわかりましたか』

ララ姫は、深くうなずくと、かべの女の子たちの絵に語りか

けました。

『ミャミャ』（ありがとう、メリンダ、エレナ女王）

それからララ姫は、ミルンにお礼をいい、メリンダのおうちをあとにしました。

（とってもいごこちがいいおうちだったし、もっと、探検したかったけれど。早く、人間にもどって、お城へもどらなくちゃいけないわ）

ララ姫は、黒ねこのネロといっしょに、もときた道を真っすぐに走りぬけました。

「ララ姫！　早かったわね！」

ララ姫とネロがトンネルをぬけると、ポリーが、待っていました。

「人間にもどる方法が、わかったのね？」

ララ姫は、「そうよ」と、しっぽを二回ふりました。

ララ姫は、日記の中で、エレナ女王がそうしたように、前足でペンダントのねこめ石にふれました。

そして、ポリーの手をちょんちょんとつつき、もう一度、ペンダントにふれます。

「……石を、さわればいいの？」

そういうと、ポリーは、ララ姫の前足に手を重ねるように、そっとペンダントの石にふれました。

そのとたん、ふわりと光が広がりました。

光が消えて、ポリーが石から手をはなし、ララ姫も前足をはなすと――。

石はきれいな、緑色になっていたのです！

「石の色が、もどった！　魔法の力がもどったのかしら」

ポリーが急いで、ねこめ石をなでます。

すると、白い光があふれでて、ララ姫は、ついに人間のすがたにもどりました。

「ああ、ララ姫、よかった！」

「ありがとう、ポリー！　たくさん話したいことがあるわ。魔法の力がもどったのは、ポリーのおかげでもあるのよ」

お城へ急ぎ足で帰りながら、ララ姫はポリーに、メリンダの家で起こったことを話しました。

「まあ、すごい体験をしたのね、ララ姫！　わたしも、メリンダのおうちへ行ってみたかったわ」

ポリーは、目をかがやかせています。

「黒ねこさんの名前もわかって、話せたなんて！　ネロ、これからもよろしくね！」

ポリーがいうと、ネロが、よろしくというかのように、
ニャニャ！

と、鳴きました。

6 移動遊園地へ

三日後、すみきった青空が広がる朝、ララ姫はお城のいしょう部屋にいました。

これから、ポリーと、クロエといっしょに、移動遊園地のドリーム・ランドへ行くのです。

(軽くて動きやすいドレスがいいわね!)

ララ姫は金色のししゅうが入った、さわやかなブルーのドレスに

郵便はがき

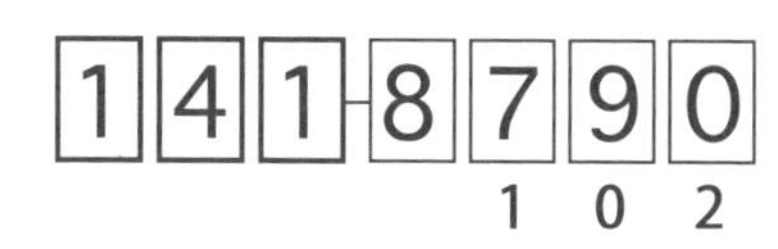

1 0 2

料金受取人払郵便

大崎局承認

7154

差出有効期間
2025年
7月10日まで
(切手はいりません)

東京都大崎郵便局 郵便私書箱第67号

(株)Gakken
K12-1事業部
「ララ姫はときどき☆こねこ」係行

<個人情報の取り扱い> ご記入いただいた個人情報は、商品・サービスのご案内、企画開発などのために使用させていただく場合があります。また、ご案内や賞品発送業務を、発送会社に委託する場合があります。個人情報に関するお問い合わせは、お問い合わせフォームhttps://www.corp-gakken.co.jp/contact/よりお問い合わせください。当社の個人情報保護については、当社ホームページhttps://www.corp-gakken.co.jp/privacypolicy/をご覧ください。発行元 株式会社 Gakken 東京都品川区西五反田2-11-8 代表取締役社長 五郎丸 徹　　個人情報に関してご同意いただけましたら、ご送付ください。

ご住所　〒　　　　TEL (　　　　)

都道
府県

お子さまのお名前

学年
小学
中学　　年生

保護者の方のお名前

新作のご案内をお送りしてもよろしいですか？　(はい ・ いいえ)

今後、新企画についてご意見をうかがう
アンケートを送ってもよろしいですか？　(はい ・ いいえ)

この本を買う前に、本の中身を[見た ・ 見なかった ・ 見られなかった]

この本のご感想をお書きください。
(以下の内容をweb、広告物などに掲載するのは [名前なしならよい・よくない])

『ララ姫はときどき☆こねこ』の登場人物に、
メッセージをお願いします。

へ（ララ姫やポリーほか、あて名をすきに書いてね）

より

この本（5巻）で、すきなページ

ページ

すきな理由

ララ姫シリーズのほかに、すきな本、よく読む本

つぎに、こんな本を読みたい！

すきなゲームや動画、アニメ、マンガ

着がえました。

　首もとには、青い石のペンダントをつけます。

「メリンダさん、今日ももし魔法を使うなら……だいじに使うわね」

　ララ姫は、ペンダントに語りかけました。

　お城を出ると、門の前で、かわいいドレスを着たポリーとクロエが手をふっていました。

「ララ姫、こっちよ！」

　ポリーはそでがふくらんだドレスで、上品なバラのかざりが

あしらわれています。
クロエは、あわいピンク色のドレスを着ていました。
ララ姫とポリーのおみやげの、貝がらのペンダントもつけています。
「クロエ、南の国のおみやげをつけてくれたのね！　にあってるわ」
ララ姫は、思わず声をはずませました。
三人はならんでなかよくおしゃべりをしながら、移動遊園地へ向かいました。

広場に着くと、たくさんのお客さんが、今か今かと開園を、待っています。

ドーン！　ドーン！

青空に、あざやかな花火が打ちあがりました。

「アルテシア王国のみなさま。これより、ドリーム・ランドを開園いたします。どうぞ、たっぷり、お楽しみください！」

園の人たちが、にこやかにお客さんを出むかえます。

ララ姫は、わくわくしながら、広場のおくへ進みました。

木馬が回るメリーゴーランドや、空をとんでいる気持ちにな

れそうな空中ブランコ！

　きもだめしや、劇が見られるテントもあります。

　めずらしい食べものや飲みものの屋台も、たくさん！

「フルーツ入りのゼリー、おいしそうね」

「ララ姫、見つけるのが早いわ。まあ、クリームをはさんだワッフルですって。このサラダも、ブー

ケの形でかわいいわ。ねえ、アトラクションの前に何かいただきましょうよ」

「ええ、そうね！」

ララ姫とポリーが、同時に返事をしたときです。

ピ――――！

よびぶえの音が、鳴りひびきました。

その音につづいて、きもだめしのテントから、騎士見習いたちが転がるように出てきたのです。

ララ姫とポリーのおさななじみの、リオンのすがたもありました。

リオンは、ララ姫たちに気がつくと、かけよってきます。

「ララ姫、ポリー、クロエも！　来てたんだね」

「ええ。今、よびぶえが聞こえたけど、何かあったの？」

リオンが口を開くより先に、騎士見習いの一人がわらいながら、こたえました。

「今日は騎士たちで、移動遊園地のけいびをしているんだ。それでぼくたち、あやしい人がいないか、見回りのためにきもだめしのテントに入ったんだけど、リオンったら、お化けにびっくりして、よびぶえをふいちゃったのさ」

「だって、いきなり出てくるから、つい……」

リオンははずかしそうに、頭をかいています。

「おかげで、お化けにおこられたよ。リオン、あとで、みんなにジュースをごちそうしてくれよな」

「わかったよ。それじゃあ、三人とも、楽しんで！　あ、怪盗団には気をつけてね」

見回りにもどるリオンの背中を見つめて、クロエがうっとりしています。

「ああ、リオン。すてきだわ」

それを聞いたポリーが、ぽつりとつぶやきました。

「クロエは、ほんとうにリオンがすきなのね」

「ええ、大すきよ！」

ふりかえったクロエは、目をかがやかせて、いいました。

「だって、リオンって、近所のお姉さんがかっている子犬に、

そっくりなの。あの、きゅるきゅるしたひとみ！　それに、こわがりなところもかわいいわ。みんなも、そう思うでしょ？」

「え、ええ……どうかしら」

とまどうポリーに、クロエはウインクをしてみせます。

「でもね、わたし、リオンをひとりじめしようとするのは、やめたわ。だって、みんなのリオンだもの。ポリーもララ姫も、リオンのことがすきでしょう？　みんな、ファンよね！」

「みんなの、リオン!?　考えたことなかったわ」

ララ姫は、目をぱちぱちさせながら、いいました。

「そ、そうね。友だちとしてすきだけど、うーん、ファンじゃないかな……」

ポリーも、しどろもどろにいいます。

ララ姫は、わらいながら二人の手を取りました。

「ねえ、早く遊園地を楽しみましょう！　あちらに手品ショーのテントがあったわ。行ってみない？」

7 手品ショーで事件が起こる！

手品ショーのテントの中は、すでに人がいっぱいでした。

ララ姫たちは、なんとか、空いているせきにすわります。

「わたし、一度、手品を見てみたかったの！」

ポリーが、わくわくして待ちきれないように、いいます。

テントの中央には、丸いステージがあり、上につりさげられたオ

レンジ色のランプが、ステージをてらしていました。

タラララララ〜♪

ふしぎな音楽が鳴り、大きなぼうしをかぶった手品師が、ステージにあらわれて、ぺこりとおじぎをします。

手品師が顔を上げると……ポンッと手の中に小さな花たばがあらわれました。

わっとおどろくお客さんたちの目の前で、今度はどこからかステッキを取りだします。

そのステッキでちょんちょんっと花たばにふれると、たちまち花たばが、ケーキに早がわり！

「まあ、まるで魔法みたいですわ！」

「すごいわね！」

ララ姫たちは、夢中になって、はく手をおくりました。

それから、火をふきだしたり、水が出てきたりと、魔法のような手品が次つぎとくりひろげられます。

お客さんたちは、息をするのもわすれるくらい、見入っていました。

「それでは最後に、今日だけの、とっておきの手品です！」

手品師が、にやりとしながら、声を上げます。

「みなさんの金貨や宝石が、ふえるマジックです。さあ、ためしてみたい方は、ぜひ、こちらに」

そういって、ふくろを持った手品師がテントの中を回ると、お客さんたちは次つぎに、持っていた金貨や宝石をふくろへ投げこみました。なかには、おさいふのふくろを丸ごと入れる人もいます。

「では、いきます。よ～く見ていてくださいね。一、二、三！」

そのとたん、ぱっと、明かりが消えました。

テントの中は、真っ暗です。あちこちで、悲鳴や、ざわざわとした声がします。

入り口から、明るい光がさしこみました。

ただごとでないと気づいた騎士たちが、テントの入り口を開けたのです。

「何があったのですか!?」

「やられた、ゴーストだ！　犯人たちはテントの外へ……」

手品師の、苦しそうなさけび声が聞こえます。

見れば、手品師は、ステージの上にたおれていました。

その手にあったはずの、お客さんたちのさいふや宝石が入ったふくろは、丸ごと消えています。

（あら？　手品師さんの顔、今わらったように見えたわ。気のせいかしら）

ララ姫は、ふしぎに思いました。

どこからか遊園地のスタッフたちが出てきて、手品師をステージのうらへ運んでいきました。

「犯人は、まだ近くにいるはずだ！　みなさんは、動かないで待っていてください。数人をけいびにのこしておきます」

そういうと、騎士たちは、テントの外へとびだしていきました。

「何か、あやしいわ。できること、あるかしら……」

ララ姫は、しずかに立ちあがりました。さっきの、手品師の笑顔が引っかかっていたのです。

「え、ララ姫!? ここにいたほうが……」

ポリーが声をかけましたが、ララ姫は騎士たちが見ていないすきに、そっと外へ出ました。

そして、急いでテントのうらに回り、かくれると、ペンダントの石をなでます。

まぶしい光があふれでて、こねこのすがたになったとき、後ろで足音がしました。

はっとして、ふりかえると、そこにいたのは、心配して追ってきたポリーでした。

「もうねこになったのね……ララ姫、気をつけてね」

そのとき、テントの中から、あやしい声が聞こえてきました。

「うまくいきましたよ。騎士たちは、今ごろ、べつの場所をさがしているはずです」

「よし、金貨や宝石を運ぶ馬車は用意してある。たおれた手品師をかん病するため運ぶ、という話にする。計画どおりだ」

ララ姫とポリーは顔を見合わせます。

（この会話って、もしかして犯人……？）

ねこになったララ姫が、テントのすき間から、そっとのぞきます。

（まあ、犯人は、この二人だったなんて！）

テントの中で話していたのは、なんとステージの上でたおれていたはずの手品師と、遊園地の副園長だったのです。

8 ねこと怪盗団の対決！？

（遊園地のスタッフの中に、犯人――ゴーストが、まぎれていたということ？）

まさか、今まで遊園地で起こった事件も、同じ者たちのしわざなのでしょうか。

「ララ姫、わたし、騎士をよんでくるわね」

ポリーは、そういうと向こうへ走っていきました。

そのとき、手品師がテントの外へ出てきました。

「金貨に宝石、全部つみこんだか？　見つかる前に出発だ！」

手品師は馬車にかけより、だれかに話しかけます。

（たいへん、犯人たちが、にげてしまう！　騎士たちがやってくるまで、時間をかせげないかしら）

ララ姫は、勇気を出して、テントの中にこっそり入りました。

ガタン！

ララ姫は、そばにあった手品の道具をたおして、わざと大きな音を立てました。

「だれだ!?」

副園長がこちらをふりむきます。

ララ姫は、とっさに体を小さく丸めました。

「なんだ、ねこか」

副園長が、ふんと鼻を鳴らします。

「ボス、早く馬車に乗ってください」とよばれて、副園長が、急いでテントを出ます。

ララ姫もあとを追って外へ出たとき、馬車のドアがバタンとしまりました。

このままでは、怪盗たちは騎士たちが来るまでに、にげてしまいます。

（向こうにペンキが入ったバケツがあるわ！　あれをたおせたら……間に合うといいけれど）

ララ姫が、バケツに向かって走りだそうとした、そのとき――。

もうスピードで走ってくる、黒いねこがいました。

ネロです。ネロは、ジャンプすると、後ろ足でバケツを大きくけったのです。

ガラガラガラ！

バケツが転がり、赤色のペンキが道にこぼれます。

そして、副園長たちの乗った馬車は、こぼれたペンキの上をふみ、走りさっていきました。

やがて、ポリーがよんだ騎士たちが、やってきました。リオンをはじめとする騎士見習いもいます。

「怪盗団はどこだ!?」

道には、赤い車輪のあとが、つづいています。

ララ姫は黒ねこのネロといっしょに、ポリーに近よりました。

ネロが、手足のふわふわの毛についたペンキを、ポリーに見せるようなしぐさをします。

「ネロ、どうしたの⁉　赤いペンキがついてる。あれ、車輪のあとにも同じ色のペンキ……？　もしかして……」

ポリーは、騎士たちのほうをふりかえると、さけびました。

「怪盗団は馬車でにげたみたいです。この赤いペンキのあとの先に、きっといると思います！」

「ああ、やはり、そうか。これで、行った方向はわかりそうだ、急ぐぞ。騎士見習いはここで、そうさをつづけてくれ」

ランス隊長は、さっと馬に乗ると、

急いで騎士たちとともに、その場を去りました。

「ねえ、ポリー。もしかして、このねこちゃんたちのお手がら？　すごいね。いつも事件のときに活やくしてくれてるよ」

リオンが、おどろきをかくせないといった顔で、ねこになっているララ姫たちを見つめていました。


騎士たちが、馬車に追いつくのは、あっという間でした。

馬車からは、ぬすまれた金貨や宝石が見つかり、怪盗たちも、みんなつかまりました。おさいふなどの持ち物ももどってきて、お客さんたちはひと安心です。

ララ姫は、ポリーにねこめ石をなでてもらい、人間のすがたにもどりました。その間に、黒ねこのネロは、どこかへ行ったのか、すがたが見えなくなっていました。

テントの入り口にもどると、クロエがほっとした顔で、ララ姫とポリーにかけよりました。

クロエは、手品師のふくろに、手作りアクセサリーを入れていたのですが、ぶじに、もどってきたようです。

太陽は高くのぼり、風がやさしくふきぬけます。

大きな広場では、園長や、遊園地のほかの大ぜいのスタッフたちが、お客さんたちに深ぶかと頭を下げていました。

「今日は、申しわけありません。怪盗たちは、これまでの事件も、自分たちがやったと、みとめました。騎士やみなさんのご協力のおかげで、ぶじに犯人たちをつかまえることができました。ほんとうにありがとうございます」

園長は、深くおじぎをすると、つづけました。

「みなさまへのおわびの気持ちもこめて、夕方から、とくべつなパーティーを行います。よかったら、ごさんかください!」

それから、夕方になるまで、ララ姫たちは、空中ブランコに乗ったり、げきを見たりして楽しみました。

やがて、空は少しずつオレンジ色にそまりはじめました。

園内のあちこちで、ランプがつき、カラフルなテントがげんそう的にてらされます。

軽やかな音楽が流れ、かわいい妖精のようなかっこうをした人たちが、おどりだしました。

広場の真ん中におかれたテーブルには、ごちそうや、デザートがずらりとならんでいます。

とろけるようなチーズのパイに、ハ

チミツとジャムたっぷりの、パンケーキ、あつあつのフライドポテト。

あまずっぱいモモのジュースや、みずみずしいフルーツのもりあわせもあります。

お城の料理人、テオのすがたも見えます。どうやら、お城からも、たくさんの料理やデザートが運ばれているようです。

「どれも、おいしいわね！」

ララ姫たちは、少しずつお皿に取って味わいながら、にぎや

かなパレードをながめていました。

「ねえ、もう一度、空中ブランコに乗ってみない？」

ララ姫がいうと、ポリーとクロエも大きくうなずきました。

「メリーゴーランドも、どう？」

「きもだめしのテントも、行ってみたいわ」

三人は、ゆめのような時間を、心ゆくまで楽しみました。

9 ソプラノとマーチ

数日後、ララ姫とポリーは、お城の庭にいました。黒ねこのネロも、いっしょです。

「ララ姫、そろそろ、シークレットショーへ出かける？」

「ええ、行きましょう！」

あのあと、お城の人たちや、お母さまのマリーナ女王にもシークレットショーの紙を見せました。

紙の文字や絵が見えたのは、ラ

ラ姫とポリー、クロエ、黒ねこのネロ、そして、魔女のソプラノのことを昔から知る料理人のテオだけでした。

仮そう大会で、ソプラノの魔法にかかったり、ペンダントをねらわれたり、とくにソプラノにかかわった人たちのようです。

ララ姫は、ショーのことを、マリーナ女王に話しました。

「ソプラノも、もう、悪さはしないはず。それにテオもまねかれて行くなら、安心だわ。行ってらっしゃい。気をつけてね」

マリーナ女王は、そういって、ララ姫の手をやさしくにぎりました。

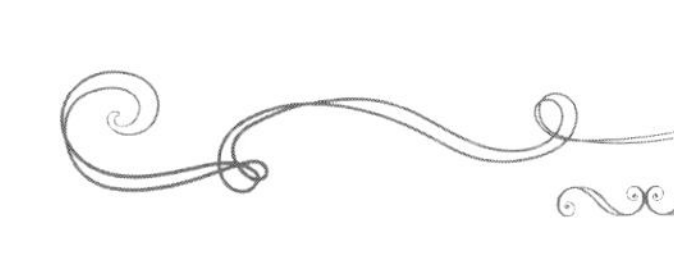

外は、からりと晴れています。

ララ姫とポリーが馬車に乗りこもうとすると、ネロが近よってきました。

「ネロも行くわよね！　さあ乗って！」

ララ姫の言葉に、ネロが、馬車の中へ軽がるとジャンプしました。

町の大通りは、いつもより歩いている人が多いようでした。

通りの角で、ララ姫たちは馬車をおります。小道に入ったところで、ララ姫はペンダントの石にふれて、ねこになりました。

ポリーと、二ひきのねこ――ララ姫とネロは、紙に書かれた

場所へ向かいます。

やがて見えてきたのは、あのかわいらしいおかしの家でした。

きっと、ソプラノのシークレットショーの、会場です。

ララ姫たちは、そーっと中へ入ってみました。

部屋にはかわいいテーブルと、いすがいくつかおいてあり、一人、テオがすわっていました。

ねこのララ姫と黒ねこを見て、テオがほほえみます。

そこへ、キィと音がして、またとびらが開きました。

クロエでした。ドレスのすそのフリルをゆらしながら、歩いてきます。
「あら、かわいいお客さんたち！」
クロエは、二ひきのねこを見て、目をかがやかせました。
とらねこの正体がララ姫だとは、もちろん知りません。
みんなそれぞれが、席に着きました。
ララ姫と、ネロには、ねこがすわ

りやすそうな、ふかふかのクッションのソファが用意されていました。

「それにしても、この道に、こんなにかわいい建物があったなんて。今まで気づかなかったわ」

クロエがそういったとき、どこからか、美しいバイオリンの音色が聞こえてきました。

とつぜん、部屋がうす暗くなり、真ん中にライトが当たります。

光(ひかり)の中(なか)にあらわれたのは、ソプラノでした。

星をちりばめたようなキラキラとしたドレスを身にまとい、
耳にはオーロラのようなイヤリングをつけています。

ソプラノのとなりには、バイオリンを持った、マーチのすがたもありました。

ソプラノといつもいっしょにいた少女です。

かたにはカラスをのせています。

二人とも、うっすらとすけて見えます。

「ソプラノたちは、今、ここにいるんじゃなくて、魔女の世界にいるみたいだね。魔法で、こちらにすがたを見せているんだと思う」

テオが、ひとり言のようにささやくと、クロエはびっくりしたように息をのみました。

ソプラノは、ゆっくりおじぎをします。

「みんな、今日はおこしいただき、ありがとう。わたしたちは、アルテシア王国の人たちに、とてもめいわくをかけてしまった。とくに、仮そう大会で……』

ソプラノは、お客さん一人ひとりを見つめます。

ソプラノは魔女ですが、魔法が上手に使えません。

だから、ねこに変身できるねこめ石のペンダントをぬすんで、変身の魔法を手に入れようとしていたのです。

「とらねこさん」
ソプラノが、ねこになっているララ姫を見つめました。
「あの日、わたしに『変身できなくても、じゅうぶん、魔女だと思う』といってくれたね。あの言葉は、魔女の世界にもどった今も、心のささえになっているよ。ありがとう」
ソプラノの言葉に、ララ姫の心が、ほわっと温まります。

「すごいわ！　こねこちゃん、そんなすてきなことをいったなんて！　それに魔法で話せるのね」

ララ姫のほうを見て、クロエが小声でいいました。

「ソプラノ。わたしも、話したいな」

ソプラノのとなりにいるマーチが、口を開き、深く頭を下げました。

「あのときは、こわい思いをたくさんさせて、ごめんなさい」

クロエが、ぽんと手をたたきました。

「思いだしたわ。あなたは、仮そう大会の日、わたしとポリーに話しかけてきた方よね」

マーチが、こくりとうなずきます。

「わたし、気にしてなくてよ。魔法にかかるなんて体験ができたし。それより、あなたたちとお友だちになりたいわ」

「……ありがとう」

マーチは、少しほほえみました。なみだなのか、目がキラッと光ります。

ソプラノが口を開きました。

「わたしたちは、魔法をよくないことに使ってしまった。アルテシア王国のみなさんにも、少しずつおわびをしていこうと思っているんだ。いちばんさいしょに、あなたたちにごめんなさい

と、ありがとうをつたえたかった」

そういうと、ソプラノはしずかに歌いはじめました。

10 シークレットショー

それは、みごとな歌声でした。

ソプラノは、星がふるえるような高い声をひびかせたかと思うと、海のさざなみのように、ゆったりと歌います。

マーチが、ソプラノの歌声によりそうように、バイオリンをかなでます。

歌いながら、ソプラノが高く手をかかげると……。

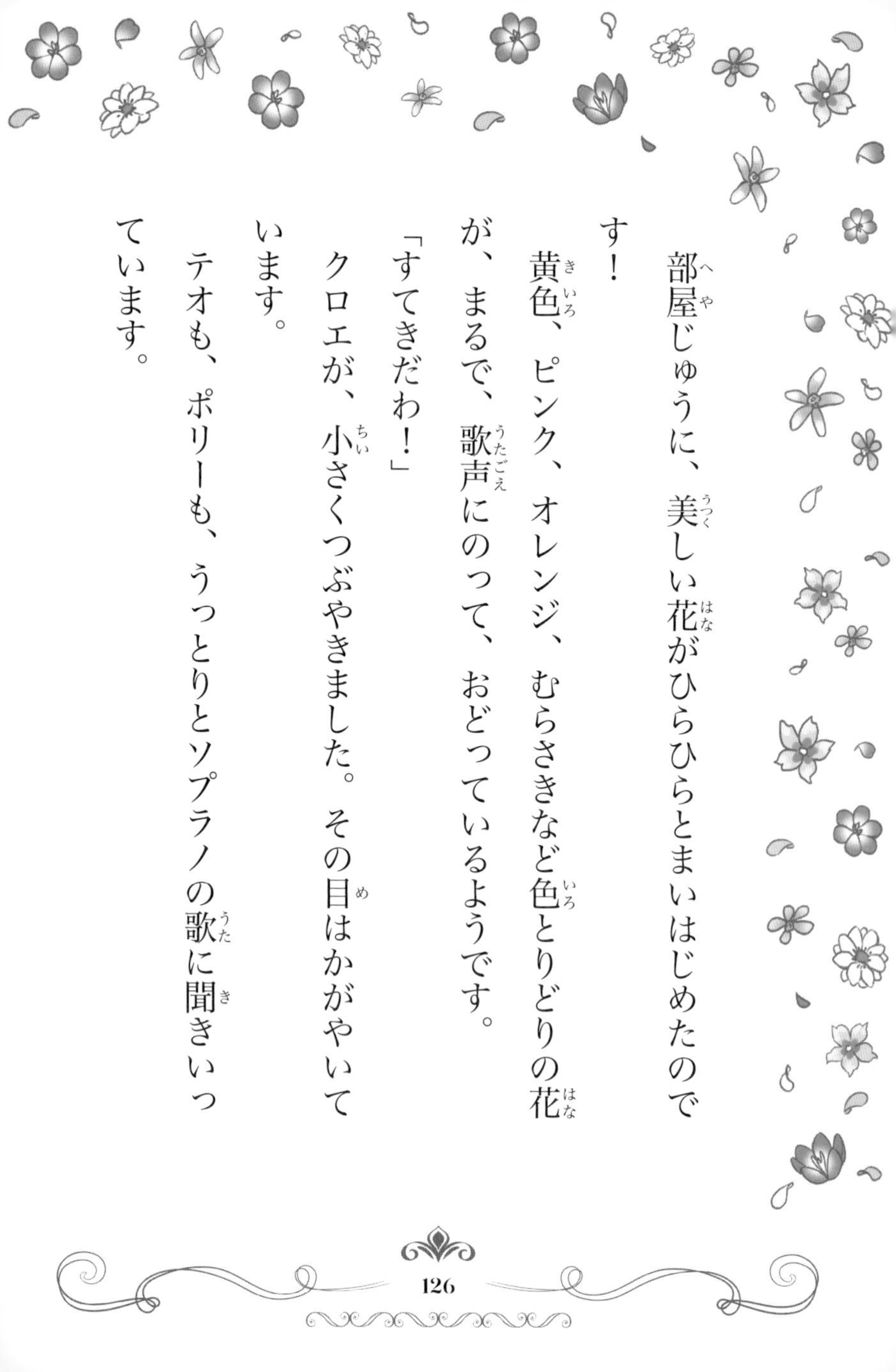

部屋じゅうに、美しい花がひらひらとまいはじめたのです！

黄色、ピンク、オレンジ、むらさきなど色とりどりの花が、まるで、歌声にのって、おどっているようです。

「すてきだわ！」

クロエが、小さくつぶやきました。その目はかがやいています。

テオも、ポリーも、うっとりとソプラノの歌に聞きいっています。

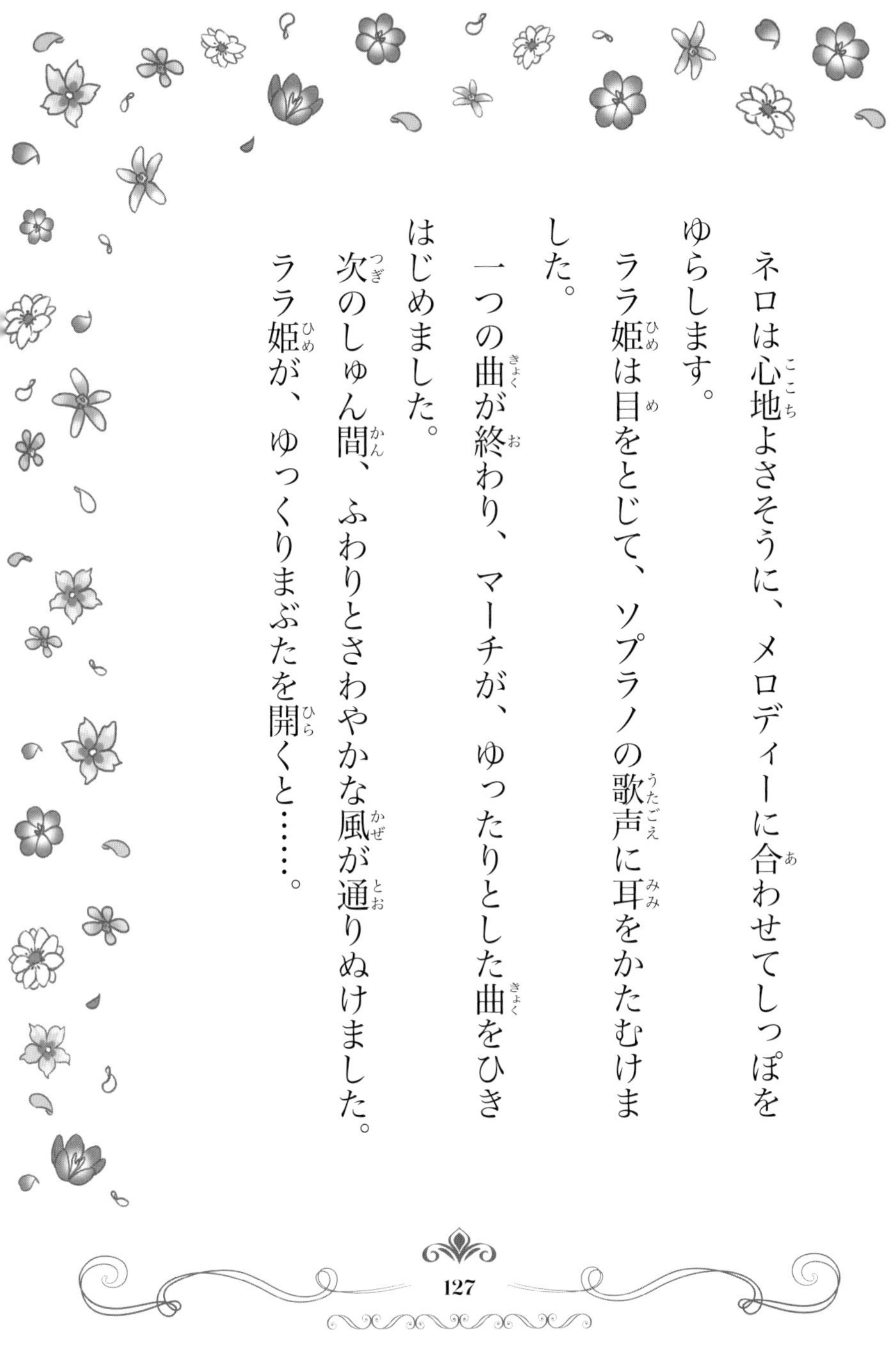

ネロは心地よさそうに、メロディーに合わせてしっぽをゆらします。

ララ姫は目をとじて、ソプラノの歌声に耳をかたむけました。

一つの曲が終わり、マーチが、ゆったりとした曲をひきはじめました。

次のしゅん間、ふわりとさわやかな風が通りぬけました。

ララ姫が、ゆっくりまぶたを開くと……。

ララ姫たちのまわりに、夜空が広がっていたのです。
月がかがやき、たくさんの星がきらめいています。
遠くに、キラリと流れ星が見えました。

ソプラノが歌いおえると、まわりはゆっくりと、もとの部屋のようすにもどりました。

みんなのはく手とかん声につつまれる中、ソプラノとマーチは、少してれくさそうにほほえむと、深くおじぎをします。

「みんな、ありがとう。また、いつか会えますように」

そういいのこすと、ソプラノたちのすがたは、ふっととけるように見えなくなりました。

みんなそろっておかしの家を出ると、演そう中に雨がふったのか、道が少しぬれています。

「まあ、見て！」

ポリーが、声を上げます。

見れば、空に、大きなにじがかかっているではありませんか。

そして、ふわりふわりと、何かがまいおりてきました。

（雪？　でも、色がついているわ）

ふしぎに思うララ姫の目の前で、今度は、ふわっと小さなかごがあらわれ、ちゅうにうき、その中に雪のようなものが、つもっていきます。

見れば、町のいたるところに、かわいらしいかごがういています。

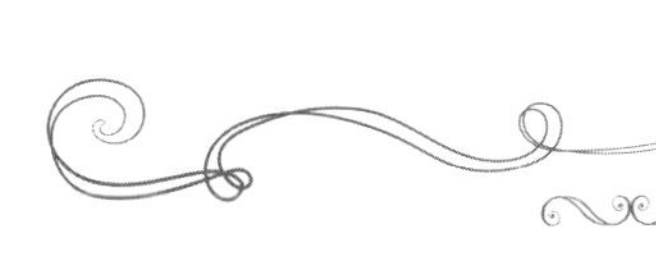

テオが、雪のようなものを手に取り、一口なめると、にっこりしました。

「これは、魔法のキャンディだ。すごくおいしいですよ」

近くにいた町の子どもたちが、うれしそうにとびはねます。

さわぎを聞きつけてやってきた騎士たちが、おそるおそるたしかめてみますが、どうやら、ほんとうにおいしいおかしのようです。

テオが空を見上げました。

「ソプラノたちからの、おくりものですよ。すばらしい魔法

ですね。あまり魔法が使えなかったソプラノでしたが、上達したのかもしれませんね」

ふりかえると、先ほどまでララ姫たちがいた建物はおかしのかざりが消えて、オレンジ色の屋根と白いかべの空き家になっていました。

「やっぱり、あの建物にも、魔法がかかっていたのね」

ポリーが目を丸くしました。


その夜、月の見えるテラスで、ララ姫は、お母さまのマリーナ女王に、今日のソプラノのショーのことを話していました。

ララ姫は、ねこになって行ったことは話していませんし、十歳になってから、ねこになれるようになったことも話していません。

でも、マリーナ女王は、きっとそのことを知っているし、女王も少女だったころ、こねこになって冒険していたのでしょう。

マリーナ女王は、ララ姫の話を聞きながら、やさしくうなずきます。

「あなたは、ほんとうに、たく

さんの冒険をしたわね。ときには、だれかのために。このゆびわの色がかわらなかったのは、あなたが自分や友だちの力で問題をのりこえられたから、かしら」

マリーナ女王は、ララ姫のブルーサファイアのブローチと同じ石のゆびわを持っています。

もし、ブローチを持ったララ姫がこまっていたり、たいへんだったりするときは、石の色がかわって教えてくれる魔法のゆびわなのです。

女王が、どうして魔法のブローチと魔法のゆびわを持っているのか、ララ姫は、まだ知りません。

でも、いつか、知ることもあるかもしれません。

マリーナ女王が、ふと、夜空にうかぶ月に目をやりました。

「きれいな月ね。こんな夜は、わたし、いっしょに冒険したねこさんに、何十年ぶりに会えるんじゃないかって思うのよ」

そういうと、女王は、ララ姫を見つめて、ほほえみました。

11 冒険はつづく

太陽の光が、水面できらきらとかがやいています。

ムーン湖のほとりのさん橋につけた、小さなボートの上に、ララ姫とポリーのすがたがありました。

今日は、バスケットにおやつを入れて、湖にやってきたのです。

のんびりと読書をするポリーの向かいで、ララ姫は、本のようなものに、羽根ペンを走らせていま

した。

「ねえ、ララ姫。さっきから、何をしているの？」

ポリーがたずねると、ララ姫は顔を上げました。

「ふふっ、わたしね、日記をつけることにしたの。毎日のできごとを、メリンダのように日記につづっておこうと思って」

「すてきね！　それで、どんなことを書いたの？」

そういって、ララ姫の日記をのぞきこんだポリーは、くすっとわらいます。

「ララ姫ったら、おかしのことばっかり！」

「だって、おやつの時間は、とくべつだもの！　そうだわ、そ

ろそろ、おやつにしましょう」

ララ姫が、バスケットから、おいしそうなおやつを取りだそうとしたときです。

水鳥がとんできて、ボートのふちにとまりました。口にくわえた小さな紙を、ララ姫にさしだします。

ララ姫が紙をそっと広げると、小さな貝がらが一つ、こぼれでました。紙には、どこかの地図がかかれているようです。

「まあ、この貝がら、見おぼえがあるわ。

小さな文字のようなものが書かれている。もしかして――。海の国のパール姫からの、おたよりかしら⁉」

ララ姫が、目をぱちぱちさせました。パール姫は、いっしょに冒険もしたお友だちです。

ポリーが声を上げます。

「ララ姫！　この地図の宝物のしるし、ちょうど今読んでいる本にのっているわ！　ほら、これよ！　ムーン湖は昔、海とつながっていたため、海の国の宝物がうまっているって」

気づけば、先ほどの水鳥がさん橋にとまり、こちらをじっと見つめていました。その横には黒ねこのネロがいます。

「ポリー、冒険の始まりよ！」

そういうと、ララ姫は、さん橋にとびうつりました。ポリーもあわてて、追います。

水鳥が羽ばたき、とぶ方向に向かって、ララ姫にポリー、ネロが軽やかに走りはじめました。

――これからも、ララ姫の冒険は、仲間たちといっしょにつづきます。

（おわり）

この本に登場した、
魔法の力がこめられたアイテムや、
魔女の世界のねこたちを
しょうかいするよ。

ふしぎなアイテム

魔女メリンダの日記

伝説の魔女、メリンダが書いた日記。

とくに、アルテシア王国のエレナ姫とのできごとがくわしく書かれている。白いねこ、ミルンの魔法の力がくわわると、日記の中の世界に入ることができる。

魔女メリンダのつえ

メリンダが使っていた、つえ。

日記に書かれている過去のできごとを、まるでその場にいるように見聞きすることができる。

魔法のキャンディと、かご

魔法によって、雪のように空からふらせる。
空中でキャンディをかごの中に入れるのが、
少しむずかしい。

海の魔法の国の小さな貝がら

海の魔法の国で使われている、
メッセージを書いてやりとりするもの。
魔法の海の国は、アルテシア王国から
ずっと南のほうの海の中にある。

魔女の世界のねこ

ミルン

魔女メリンダの家を
管理している、白いねこ。
すぐれた魔法の力を
持っている。

ネロ

わかい、黒ねこ。
ミルンのようなねこになれるよう、学び中。
ときおり、人間の世界に行き、
ララ姫のことを見守っている。

ララ姫
princess Lala
ララ姫、ポリー、クロエの
おしゃれチェック!
3人の、さいきんのお気に入りのファッションをしょうかい!
おさんぽスタイル
晴れた日の空みたいに、
すんだ青色。
フリルやリボンもすてき!
おめかしスタイル
ゴールドのししゅうが
きれいなドレス。
すそのふくらみも、上品!
おめかしスタイル
大人っぽいピンク色のドレスは、
リボンがポイント!

クロエ
Chloe
おさんぽスタイル
細かいフリルと、
花がらがお気に入り！
ぼうしも同じ色で
コーディネートよ。
おめかしスタイル
わたしが大すきな色、
イエローのドレス。
バラのかざりは、
手作りしたの！
ポリー
Polley
おさんぽスタイル
お友だちと遊びに行くときに
ぴったりの、
フレッシュグリーンのドレス。

プロフィール
Profile

魔女のソプラノとマーチ、
料理人のテオについて、
しょうかいするよ。

住んでいるところ	魔女の世界。
しゅみ・とくぎ	歌うこと。
きょうだい	お姉さんがいる。
すきな食べ物	ケーキ。りんご。

住んでいるところ	魔女の世界。
しゅみ・とくぎ	バイオリン。
きょうだい	弟がいる。
すきな食べ物	からい食べ物。

住んでいるところ	アルテシア王国のお城の近く。
しゅみ・とくぎ	旅。スイーツ作り。
きょうだい	一人っ子。
すきな食べ物	なんでもすき。

ララ姫からのお手紙

読者のみなさんへ

こんにちは。魔女メリンダのおうちへ
行ったお話、移動遊園地のお話、
どうだったかな？
まさか、伝説の魔女、メリンダさんに会えるなんて！
ほかにも、ねこになれる魔法の石のひみつや、
ネロのことも知れて、
わたしはとってもおどろいたわ。
もとの力にもどった、ねこになれる魔法を、
これからもだいじに使っていこうと思うの。
「ララ姫はときどき☆こねこ」シリーズは、
この巻で一度、終わるけれど、
わたしの冒険も、みんなの冒険も、
この先、つづいていく──。
みんなと、また、どこかで会えるかもしれないわ。
そのときを楽しみにしているね！

ララ

みおちづる	児童文学作家。『ナシスの塔の物語』(ポプラ社)で椋鳩十児童文学賞、児童文芸新人賞を受賞。「少女海賊ユーリ」シリーズ(童心社)、『ドラゴニア王国物語』(KADOKAWA)、『山のうらがわの冒険』(あかね書房)他、作品多数。
水玉子	イラストレーター。書籍挿絵や、初音ミクSoft『ハロ/ハワユ』PVのイラスト、鹿乃アルバム『鹿乃BEST』ジャケットイラスト、キャラクターデザインなど、幅広く活躍。

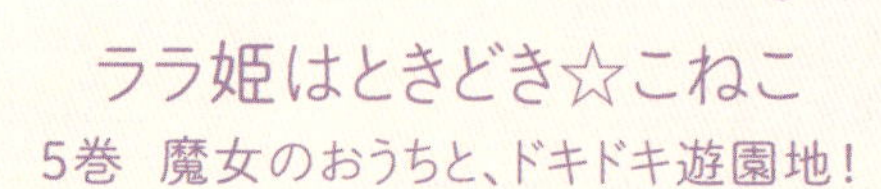

ララ姫はときどき☆こねこ

5巻 魔女のおうちと、ドキドキ遊園地!

2024年7月16日　第1刷発行

作 みおちづる
絵 水玉子
一部物イラスト 小坂菜津子
デザイン 川谷デザイン

発行人 土屋 徹
編集人 芳賀靖彦
企画編集 松山明代
編集協力 勝家順子　谷口晶美　上埜真紀子
DTP 株式会社アド・クレール
発行所 株式会社Gakken
〒141-8416 東京都品川区西五反田2-11-8
印刷所 図書印刷株式会社

この本に関する各種お問い合わせ先
●本の内容については下記サイトのお問い合わせフォームよりお願いします。
https://www.corp-gakken.co.jp/contact/
●在庫については　Tel 03-6431-1197(販売部)
●不良品(落丁、乱丁)については　Tel 0570-000577
学研業務センター　〒354-0045　埼玉県入間郡三芳町上富279-1
●上記以外のお問い合わせは
Tel 0570-056-710(学研グループ総合案内)

NDC913　152P

princess Lala
princess Lala